해 찬 이 의 하 루

해찬이의 하루

발　행 | 2024년 08월 08일
저　자 | 이영미
펴낸이 | 한건희
펴낸곳 | 주식회사 부크크
출판사등록 | 2014.07.15.(제2014-16호)
주　소 | 서울특별시 금천구 가산디지털1로 119 SK트윈타워 A동 305호
전　화 | 1670-8316
이메일 | info@bookk.co.kr

ISBN | 979-11-419-5332-4

해찬이의

하루

이영미 지음

프롤로그

처음 아들의 장애를 알았을 때의 막막했던 순간을 어떤 말로 표현할 수 있을까요? 하지만 얼마 지나지 않아 몸이 건강한 것 만으로도 감사하고 할 수 없는 일보다 여전히 할 수 있는 일이 많다는 것을 알게 되었습니다.

장애여부를 선택할 수는 없지만 행복과 불행으로 가는 길은 저의 선택에 따라 바뀐다는 생각을 하자 모든 것이 달라 보이기 시작했습니다.
걱정이 많았던 아들로 인해 오히려 더 성숙한 부모가 되기 위해 노력하고 가족애가 깊어지고 있습니다.

발달 장애아인 아들과 함께하는 일상을 소개하며 장애에 대한 편견과 선입견을 조금이나마 줄이고 싶어 글을 쓰게 되었습니다.

살아가는데 불편한 장애가 이웃들의 불편한 시선으로 마음까지 불편해지지 않았으면 합니다.

우리가 모두 다르듯이 장애도 그 다름의 범주 안에 있다고 생각하고 따뜻한 시선으로 바라봐 준다면 그것 만으로도 힘이 납니다.

장애는 멀리 있지 않습니다. 또한, 남의 일이 아닙니다. 장애인이 우리 이웃으로 스며들어 같이 행복하게 살아 갈 수 있도록 서로 배려하고 조금만 관심을 가져 주셨으면 합니다.

CONTENT

제 이름은 해찬이에요

저는 2013년 가을에 조산원에서 태어났어요, 엄마는 병원보다 그 곳이 마음이 편안해서 좋다고 했어요 아침에 세상이 보고 싶었던 저는 똑똑 문을 두드렸고 엄마는 급히 아빠에게 연락했지요,

제가 나올 준비를 하는 동안 아빠는 초조한 마음으로 조산원의 창밖을 보고 있었는데 소나무에 햇살이 따뜻하게 비치는 모습에 마음이 따뜻해져 제 이름을 지었다고 해요,
해처럼 밝게 자랐으면 하는 아빠의 마음이에요,

제가 태어나고 엄마, 아빠는 기쁠 때도 많았지만 슬플 때도 있었어요, 저도 잘 알아요, 제가 다른 아이들과 조금은 다르다는걸요, 친구들이 마음 속의 말을 다 표현할 때 저는 속으로만 생각하다가

겨우 한 마디를 하는 정도였어요. 하지만 저는 제 이름처럼 환하고 행복하게 자라고 있어요. 조금은 더디지만, 천천히 한 걸음씩 앞으로 나아가고 있지요.

5학년이 되어서 키도 많이 자랐어요. 학교가 끝나면 돌봄 센터에서 놀이도 하고 공부도 합니다. 엄마가 빨리 데리러 오면 좋겠어요.

요즘은 아빠가 물놀이를 할 수 있는 풀장을 만들어 주셔서 집에 가자마자 물놀이 하는 것이 제일 재미있어요.

가끔은 아빠랑 같이 물총 놀이도 해요. 아, 근데 저는 게임도 좋아해요. 형아랑 누나가 마리오 게임을 사주었어요. 마음처럼 잘 안 되어서 나도 모르게 짜증을 낼 때도 있는데 그럴 때면 엄마, 아빠가 "해찬아~" 하고 주의를 줘요. 저는 화내는 게 아니고 속상해서 저도 모르게 그런 건데요.

오늘만 학교에 가면 내일부터는 방학이라고 엄마가 말해줬어요 내일부터는 더 신나게 놀 거예요, 도서관에 가서 책 보는 것도 재밌고 이모네 가서 팝콘 먹으면서 노는 것도 좋아요, 그리고 엄마랑 하는 배드민턴도 빼 놓을 수는 없어요 엄마랑 저는 실력이 비슷해서 실수를 많이 하는데 그게 넘 웃겨요, 뭐니 뭐니 해도 뛰어노는 것이 최고 이지만요, 요즘은 조금 귀찮을 때도 있어요 엄마가 토끼랑 바다 보러 가자고 하지만 집에서 게임 하면서 쉬는 게 더 좋아졌어요,

엄마가 팝콘 사준 다고 하면 같이 운동 가야겠어요 ㅋㅋ

상위 1%

2.7kg, 예정일을 보름 앞두고 태어난 너는 정말이지 작았어. 엄마가 38살이라는 노산에도 자연 분만을 할 수 있었던 건 예정일 2주 전에 태어나면 좋겠다는 엄마 말을 들었는지 네가 거짓말처럼 일찍 나오느라 몸도 머리도 작았기 때문이었지

인형 같은 손과 발, 뽀얀 얼굴에 길게 울지도 않았었지

엄마 젖을 먹는 너를 보고 있노라면 천사가 절로 떠올랐어,

2년여의 모유 수유를 끝낼 무렵엔 내가 "이제 그만 먹을까?" 라고 한 후 미련 없이 단유에 성공해 엄마를 힘들게 하지도 않았지

어린이집 원장님의 "해찬이 같은 아들은 열 명

이라도 키울 수 있겠어요" 라는 칭찬이 아니더라
도 초보 엄마인 내가 보기에도 넌 정말이지 순하
고 예쁜 아가였어

슬플 때나 아플 때도 큰 소리를 내며 우는 대신
작게 흐느껴 우는 모습이 안쓰러워 보였지
그러니 그만 울라고 얘기해 본 적도 없었지

세상에 나올 때 작았던 너는 그 후로도 몇 년 동
안 계속 작은 아기였어 영유아 건강 검진을 하러
가면 100명 중에 1등이었지 옷이 작아지지 않아
같은 옷을 몇 년 동안이나 입었어

차가 없던 엄마가 아기 띠를 하고 다녔지만 어디
든 갈 수 있었지 하루 종일 너를 안고 있어도 힘
든 줄 몰랐어

그랬던 네가 이제는 밥을 두 그릇 씩 먹고 고기
를 더 달라고 하니 넘 신기해, 그렇게 먹은 덕분
인지 아직도 또래에 비하면 많이 작지만 그래도

제법 길어진 다리와 엄마 발과 비교해도 작지 않은 너의 발을 보며 웃곤 해

목소리도 커지고 짜증이나 화를 낼 땐 제법 단호하더라
자는 모습은 여전히 아기 같은 면이 많이 남아 있지만.

오늘도 "다녀올께" 라는 말을 남기고 가방을 터프하게 둘러 메고 학교에 가는 네가 정말 대견하다.

김밥 실종 사건

남편은 가구를 배송하고 설치하는 일을 한다. 쉬는 날은 적고 퇴근 후에는 녹초가 될 만큼 고된 일이다. 워낙 꼼꼼하고 숙련된 베테랑이지만 남편이 하는 일은 결코 쉬운 일이 아니다. 심지어 폭우나 폭설에도 일을 쉴 수 없었다.

면세점에서 일을 하는 나는 상대적으로 쉬는 날이 많았기에 아들이 학교를 쉬는 토요일과 나의 휴무일이 겹치는 경우 우리는 집 근처 정류장에서 버스를 타고 남편 회사로 간다. 아빠, 엄마가 함께 일을 하러 가면 해찬이는 차에서 간식을 먹으며 휴대폰을 맘껏 볼 수 있어서 아빠를 도와주러 가자고 하면 신이 나서 따라나서곤 했다.

물건을 차에 실은 후 주로 서귀포나 중문에 가는 경우가 많았는데 구 제주에 사는 우리 집과는 거리가 꽤 멀었다.

간혹 스케줄에 따라 시간이 비는 경우 또는 예상보다 일찍 일을 마친 경우에는 식당에서 외식하기도 했지만 주로 김밥을 사서 차에서 점심을 해결하는 경우가 많았다.

요즘 김밥은 다양한 재료로 뚱보 김밥이 흔하고 어른이 먹기에도 부담스러운 경우가 종종 있다. 게다가 손으로 썰어 두께가 일정치 않아 입도 작은 8살 같은 12살 아들이 야심 차게 입에 넣었다가 입이 다물어지지 않아 뱉는 경우도 있다.

그러던 어느 날 마음에 쏙 드는 김밥 집을 발견하게 되었다. 적당한 굵기도 마음에 들었지만 김밥 썰어 주는 기계가 있었다. 손님이 단시간에만 몰려 직원을 많이 고용하기 힘든 분식점의 특

성을 고려할 때 참 괜찮은 아이템이란 생각을

하며 김밥을 샀다

　남편은 2줄, 나와 아들은 각각 1줄, 4줄이면
충분하다. 그날도 이동하면서 3줄을 나눠 먹은
후 남은 3~4개를 아들에게 주고 일을 하러 갔다.
시간이 꽤 걸렸고 본인 양의 반밖에 먹지 못 한
남편은 차로 돌아가 먹을 생각을 하고 있었다.

　하지만 예상치 못 한 상황이 우리를 기다리고
있었다. 몇 조각 남은 김밥을 먹은 아들이 남은
한 줄까지 꺼내서 다 먹어 치운 거였다. 김밥을
포장했던 포장지와 비닐 봉투까지 버리는 나름의
치밀함도 보였다. 그날 남편과 나는 각각 1줄, 아
들이 2줄의 김밥을 먹은 첫날이 되었다.
　"아들! 이제 김밥 5줄을 사야 할까?"

녀의 언어

어느새 코 아래 솜털이 거뭇거뭇 해진 아들은 5
학년이 되었지만 아직 의사소통이 자유롭지는 못
하다. 반복되는 일상에서 아들의 말을 알아듣기는
하지만 그 외에는 온갖 추측이 난무하고 스무고
개를 해야 한다. 엄마가 빨리 마음을 알아채지 못
하면 아들은 답답해한다. 그러다 보니 몸으로 표
현하고 최대한 짧고 자신 있는 단어로 소통하고
자 노력한다.

아직은 수용 언어와 표현 언어의 발달 정도가
큰 차이를 보인다. 영어로 비교하자면 전에는 리
스닝(주의깊게 들음)도 쉽지 않았다면 이제는 히
어링(다른 일에 집중하며 흘려 듣기)이 된다는
것이다. 그것을 처음 알게 되던 날, 신기하고 기
특하기도 했다

퇴근한 남편과 나는 고된 하루 일과를 얘기하고 있을 때 아들은 취미 활동 중 하나인 퍼즐을 맞추고 있었다. 남편이 통증으로 진통제를 하나 먹어야겠다고 하자 듣고 있다고 생각하지도 못한 아들이 벌떡 일어나 부엌에서 물 한 잔을 떠와 약과 함께 아빠에게 내미는 것이었다. 아들의 일거수 일투족을 살피는 건 당연하지만 아들이 우리의 행동을 그처럼 잘 파악하고 있는 것이 새삼 놀라웠다. 자녀를 키우는 부모에게는 일상적인 경험이겠지만 우리 부부에게는 기쁨을 넘어서 감탄해 마지 않는 일이다.

웬만큼 급하지 않으면 밖에서 큰 볼일을 안 보는 아들은 집에서 그것도 주로 밤에 힘을 주곤 한다. 양치하다 신호가 오면 급히 욕실로 뛰어 들어가곤 한다. 그럴 때면 나는 이때다 싶어 볼일을 끝낸 아들을 목욕시키려고 한다. 대체로 큰 저항 없이 하는 편이지만 그날은 많이 피곤했는지 고개를 가로저으며 짧고 굵게 한마디를 했다. "내일"

그동안 시간에 대한 개념을 알려 주는 일은 생각보다 어렵게 느껴지곤했다. 매일 가방만 달랑달랑 메고 학교에 놀러 가는 줄 알았는데 꽤 적절한 의사 표현을 해서 솔직히 내심 조금 놀랐다. 그런데 문제는 그날 이후 조금만 하기 귀찮은 일이 생기면 내일, 내일을 남발한다는 것이다.

유창한 문장으로 표현하는 일은 아직 어렵지만 짧은 단어, 표정과 행동에도 엄마, 아빠는 큰 감동과 울림을 받는 다는 건 우리만 아는 비밀이다.

너에게 사람들이 사용하는 언어를 배우라고 하지만 엄마, 아빠는 너의 마음과 언어를 더 공감하려고 노력할게.

꿈이 자라는 학교

아들이 다니는 학교는 한 세기 이상의 전통을 자랑한다. 도심에 있지만 한 학년에 2개 반 정도로 학생 수가 많지 않다. 그래서 학년을 올라가도 반 친구들이 많이 바뀌지 않는다는 장점이 있어 이사한 후에도 전학을 가지 않았다. 북 초등학교 특수 학급은 '꿈자람반' 으로 불린다.

예체능은 본래의 소속된 학급에서, 국어나 셈 같은 개별 화 맞춤 교육이 필요한 수업은 꿈 자람 반에서 수업을 듣는다. 학년의 담임 선생님과 꿈 자람 반의 담임 선생님 두 분이 있는 것이라 양쪽에서 피드백을 받는 형식이다. 각 각의 반에서 친구들과 어떻게 지내는지, 수업 태도는 어떠한지 궁금한 것들이 많은데 그럴 때면 애정을 갖고 아들을 돌봐 주는 걸 느낄 수 있었다.

또래보다 작은 아들은 웃는 얼굴로 인사를 잘 해 학교에서는 나름 유명 인사다. 아들이 학교에 가면 대부분의 선생님들과 친구들이 해찬이를 알아보고 반겨주곤 한다.

또한, 학교 식당에 가면 인사도 잘 하고 밥도 잘 먹는 모습에 식당 이모님들의 사랑도 받는다는 얘기를 전해 듣고 이해가 되었다. 왜 아들이 아무리 피곤한 날이어도 학교 가기를 싫어하지 않고 벌떡 일어 나는지를.

관심과 사랑을 받고 공부도 할 수 있는 학교가 아들에게는 최고의 꿈터가 아닐까

공평한 아이

유치하기 그지없고 아이 정서에 좋지 않다고 하지만 그래도 한 번씩 아들에게 물어 보는 말이 있다.

"엄마가 좋아? 아빠가 좋아?"

장난삼아 한 질문에 대한 아들의 답을 듣고 무릎을 탁 쳤다.

"엄마! 아빠!"

그래, 그렇게 대답할 수도 있구나

장난칠 때는 순서가 바뀌기는 하지만 한 사람 만을 지목하지는 않았다. 처음에는 질문에 대한 이해를 잘 못해 그런 줄 알았다. 그러다 단 둘이 있을 때 물어보면 "엄마" 라고 하는 거였다. 다 같이 있을 때 빠지는 사람이 서운할까봐 나름 배려하는 것 같았다.

아들의 이 같은 성격은 잠을 잘 때도 나온다.

퇴근 후 TV와 한 몸인 남편은 주로 거실에서, 깊은 수면이 필요한 나는 안방에서 잠을 잔다. 아들은 거실에 있는 아빠 옆에서 잠을 1부 자고 새벽 어느 즈음이 되면 내 옆으로 와서 나머지 2부를 이어 잔다.

이사를 하고 독립된 방을 선물했지만, 책을 보거나 게임을 하는 용도로 사용할 뿐 방에서 눈을 붙이진 않았다. 신체 활동이 많아 피곤한 날은 TV 소리와 불빛에도 아랑곳하지 않고 자는데 어느 날 잠은 자야겠는데 눈이 부셔 성가셨는가보다. 차에서 눈부실 때 사용하라고 사줬던 초록색 안경을 찾아와서 눈을 가리고 누운 모습을 보며 장난하면 받아줘야겠다고 생각하고 있었는데 입을 헤~ 벌리고 있었다. 피곤했는지 코까지 골며 잠이 들었다.

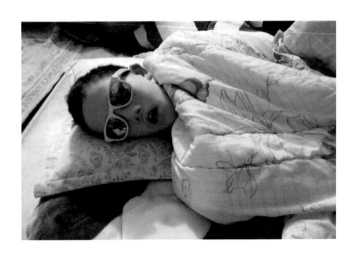

나도 엄마, 아빠를 닮았어요

아이들은 누구나 부모를 닮는다. 장애가 있다고 해서 크게 다르지는 않다. 아들이 갖고 태어난 장애의 외적 특성보다는 부모를 조금 더 닮은 것은 해찬이만의 특징이다. 성격이나 취향은 말할 것도 없고 손, 발톱은 아빠를 닮았다.

아들이 문장으로 말을 이어가지 못하고 단어로 표현하는 거나 단어의 발음이 명료하지 않아 많은 생각을 하고 있던 며칠 전이었다. 함께 TV를 보다가 아들의 혓바닥 길이가 확실히 나보다 길다는 사실을 알게 되었다. 장난삼아 혀를 코에 닿게 하고는 까르르 웃었다. 나도 안간힘을 내서 해보았지만 될 일이 아니었다. 퇴근한 남편에게 얘기했더니 별일 아니라는 듯 남편도 시범을 보여주는 것이었다. 짧지 않은 10년의 결혼 생활로 남편에 대해 잘 안다고 생각했지만 그날 처음 알게 된 모습이었다.

해찬이는 자기 전에 하는 루틴이 있는데 좋아하는 책을 두세 권 골라 누워서 읽는다. 내키면 골라 놓은 책을 다 보기도 하지만, 때로는 옆에 놓고 그냥 자기도 한다.

만화책이라 읽는 것인지 그림을 보는 것인지는 확실하지 않지만, 한글을 전혀 모르던 때부터 하던 습관이다. 그런데 낯설지 않다. 나도 다독을 하지 는 않지만 책을 좋아해서 어딜 가든 갖고 다니며 자투리 시간에 읽으려고 한다. 누구도 모르는 내면 깊숙한 부분을 닮았다는 것이 신기하기도 하고 놀랍기도 하다.

내가 찐 옥수수를 좋아하는 반면, 아들은 팝콘을 좋아한다. 입맛도 대를 이어 가는 듯하다. 다만 애주가인 남편을 닮아 술을 좋아하지는 않았으면 좋겠다.

쇼핑을 아는 나이

"게~이~임~~？ 쇼오피잉~~？"

유대폰을 들고 있는 아빠를 발견하곤 장난기가 발동한 아들이 아빠를 놀리듯 하는 말이다. 근데 반은 맞는 말이기도 하다.

요즘은 집에서 필요한 갖가지 물품을 온라인 쇼핑에서 사는 건 자연스러운 일상이 되었다. 아빠가 하는 걸 옆에서 보고 배웠는지 어느 날 좋아하는 캐릭터 퍼즐을 골라서는 '사줘'라고 했다.

3대 욕구에 비할 바는 아니겠지만 홀로 쇼핑을 하고 싶은 아들의 마음을 이해는 한다.

내 어린 시절을 생각해 본다. 시골에서 살던 당시 초등학교 2~3학년이었던 나는 서울에서 직장에 다니는 10년 이상 나이 차이가 나는 언니네 집에 방학이면 놀러 가곤 했다. 버스를 타거나 때로는 기차를 타고 가며 듣던 음악과 창밖 풍경이 아직 까지 마음에 남아 있다.
그때 그런 생각을 했더랬다. 어른이 되면 나도 혼자 식당에 가서 밥을 먹어보면 참 좋겠다고..

아들도 차츰 엄마, 아빠로부터 하나 씩 자립을 준비하고 홀로 서기를 하려고 하는데 우리는 아직 마음의 준비가 안 된 거 같다. 집 밖은 온통 위험한 것 투성이다. 골목에서도 쌩쌩 달리는 차들과 어디서 나올지 모르는 오토바이는 어른도 주의를 기울여야 한다. 그래서 아직은 모자를 눌러쓰고 아빠 지갑에서 카드를 꺼내 혼자 편의점에 가려는 아들을 애써 말리고 있다.

어느덧 자라 5학년이 된 아들이 이제 마냥 어리지 만은 않다는 것을 남편도 나도 느끼는 순간들이 늘어나고 있는 요즘이다. 그렇지만 무엇보다 중요한 것이 너의 안전이라 혼자 쇼핑하는 건 조

금만 더 천천히 해보자

안녕하세요? 헬로우?

사회생활 뿐만 아니라 모든 인간관계에서 기본 중의 기본은 인사라고 생각하기에 아들에게도 많이 강조하곤 한다.

그럼에도 불구하고 엄마인 나도 약간의 서먹함과 쑥스러움, 상대방의 무반응이 신경 쓰여 타이밍에 맞춰 인사하기란 쉽지 않다.

그런데 아들은 때와 장소를 가리지 않고 배운 바를 실천하는 '참' 학생이다.

날이 좋은 날 나와 함께 집 근처에 있는 사라봉을 산책하다 마주치는 어른들에게 아들은 또렷하지는 않지만 최선을 다해 '안녕하세요' 인사로 마음을 전한다.

칭찬과 함께 반가운 인사를 돌려 받으면 뛸 듯이

기뻐하곤 한다. 때로 무심한 반응에는 의기소침해
질까 내가 대신 격려를 담아 머리를 쓰다듬어 준
다.

  아들은 그런 경험을 쌓으며 나름의 요령도 터득
하는 모양이다. 눈이 마주치거나 인사를 잘 받아
줄 것으로 예상되는 어른에게 더 열심히 안부를
전하는 것이다.

  이런 일도 있었다.
 차를 탈 때면 조수석에 앉아 창문을 열고 창밖을
감상하기를 좋아하는 아들이 신호에 걸려 대기
중인 옆 차선의 차량 어른들에게도 인사를 건네
는 거였다. 때로는 눈높이를 높여 버스 승객에게
도 인사하는 것도 보았다.
 내가 먼저 모범을 보여야 하는데 아들이 먼저 인
사를 하고 뻘줌해진 엄마가 뒤이어 인사를 할 정
도이다.

아이의 예상치 못 한 인사에 기분이 좋아 진 어른들은 간식을 건네기도 하고 때로는 용돈을 주기도 했다. 아들에게는 인사가 소통이고 나눔인 듯 하다.

학교에서 영어로 하는 인사를 배운 후에는 자신감이 더 넘쳐 길에서 마주치는 외국인에게 '헬로우' 를 외치며 신나라 한다. 그럴 때면 얼굴엔 기쁨이 가득하다.

남편은 모르는 사람에게 인사를 하면 상대방이 아이를 이상하게 볼까 싶어 안 했으면 하고 은연중에 눈치를 주지만 나는 아들이 지금처럼 사람들에게 맑게 웃으며 인사했으면 한다.

안아 주기를 좋아하는 아들에게 인사마저 못 하게 하고 싶지는 않다.

친구가 필요해

남편 일을 도와 온 가족이 출동하면 차에서 휴대폰만 보는 모습이 안쓰러워 남편 혼자 일할 동안 잠깐의 짬을 내어 아들과 함께 산책하거나 놀이터에서 쉬는 시간을 갖곤 한다.

나는 아들과 같이 걷는 시간이 좋다. 동네를 거닐며 짧은 대화도 나누고 익숙하면서도 낯선 풍경에 짧은 여행을 하는 기분이 들기도 한다.

물어보진 않았지만 아들은 놀이터에 가는 걸 더 좋아한다.

아파트에 한 번도 살아본 적이 없는 아이로서는 아파트 단지 안에 있는 놀이터가 좋아보였다보다.

미끄럼틀과 그네를 타는 소소한 재미도 재미지만 아들은 친구들과 놀고 싶은 거였다.

아이들이 노는 모습을 물끄러미 바라보거나 따라

다니기도 했다. 아이들이 걸으면 뒤따라 걷고 뛰면 같이 뛴다.

그럴 때 아들의 얼굴은 평소와는 다르다.
밝게 활짝 웃는 모습이 아니고 긴장한 표정이 역력하다.
그러니 다른 아이들 입장에서는 우리 아들이 이상하게 보였을 것이고 피하고 싶었을 것이다.
가끔은 여자 아이들이 아들을 피해 도망 아닌 도망을 다니고 아들은 놀이로 생각해 뒤를 쫓는다.

그 모습을 지켜보는 나는 너무 속상해서 괜히 아들을 다그친다. 아빠가 기다리니 그만 가자고 하며 손을 잡아 끌어당기려고 한다. 그러면 아들은 아들대로 기분이 상해 가지 않겠다고 그 자리에 망부석이 되어 고집을 부린다.

엄마가 친구같이 놀아줘도 또래 친구가 될 수는 없으니까 해찬이도 여느 아이들처럼 또래 친구가 필요한데 대화가 자유롭지 못 한 아들이 마음을 나눌 친구를 사귀는 것은 어려운 일이다.

그것이 우리 부부의 오랜 숙제이자 고민이다.

과자 한 봉지

마트 가는 걸 좋아하는 아들이지만 간혹 귀찮아
서, 혹은 핸드폰을 보고 싶어 차에 있겠다고 할
때가 있다. 주차장에 차가 많이 다녀 위험하니 엄
마가 올 때까지 나오면 안 된다고 신신당부를 하
고는 후다닥 장을 봐서 나오곤 했었다.
그러면 기특하게도 엄마가 올 때까지 기다려주었
다.

그날도 부랴부랴 몇 가지만 사 들고 잰 걸음으
로 차에 왔는데 조그마한 머리가 창밖에서 보이
지 않았다.
가슴이 철렁 내려 앉으면서도 평소 조심성 있는
모습을 생각하면 마음 한 구석 아들에 대한 믿음
이 있었다.

왔던 길을 되짚어가며 이름을 불렀다. 눈을 한 껏 크게 뜨고 이리저리 살피며 마트 입구에 도착 했을 즈음이었다.

과자 한 봉지를 달랑 달랑 흔들려 나오는 아들이 보였다. 이 녀석 계산대도 거치지 않고 입구로 나 온 모양이었다.

행동에 대한 주의를 주며 손을 잡고 들어가 과자 값을 지불하고 나왔다.

나중에 알고 보니 휴대폰을 보던 중 전화가 와 서 마트인 줄 모르는 아빠가 엄마를 바꿔 달라고 하니 엄마와의 약속보다 나름 더 급해 보이는 아 빠의 민원을 해결해 주기 위해 밖으로 나온 것이 었다. 그 와중에 엄마가 안 보이니 먹고 싶은 과 자를 하나 골랐나보다.

그날은 엄마와 마음이 통했나보다. 평소 팝콘을 좋아하는 아들이지만 대부분의 시판 팝콘이 짜거 나 너무 달거나 해서 다른 쪽으로 유도하곤 하는데 그 과자도 내가 밀고 있는 것 중 하나였다.

  엄마의 반 강요가 없이는 아들의 선택을 받는 경우가 거의 없었는데 왠 일로 그 과자를 들고 나온 것이었다. 그런데 평소에도 아들과 나는 연결되어 있고 통한다는 느낌을 받을 때가 적지 않다.

  내가 이미 같은 과자를 사 두었으니 1+1이 되었다.
어쨌든 아들, 과자 값 안 내고 갖고 나오면 경찰 아저씨들 만나게 될 수도 있어--

다정한 너

잘도 다정한 아들은 새벽 출근했다 퇴근 후 잠시 눈을 붙인 엄마 곁에서 볼을 부비 기도 하고 가만가만 머리를 쓰다듬어 주기도 한다, 내가 그랬던 것처럼,

　엄마, 아빠가 아플 때는 걱정하는 얼굴로　"아파?" 하고 물어보곤 한다, 그렇다고 하면 수건을 가져와 머리에 올려준다, 때로는 수건을 물에 적셔 오기도 하고, 어떨 때는 깜빡했는지 마른 수건일 때도 있다,
아빠가 허리가 아프다고 하면 토닥토닥 안마도 해준다,
비록 길게 는 아니더라도,

　평소에 주문인 듯 놀이인 듯 아들과 주고 받는

말이 있다.

"엄마 사랑해요" 그러면 나도 "엄마도 사랑해요" 라고 되받아주곤 한다. 아들이 아기 때부터 지금까지도 시시때때로 많이 안아주고 아들도 나를 많이 안아준다.

그런데 마냥 어리게 보이는 아들이기에 내가 한 가지 간과한 것이 있었다. 의도와 상관없이 성희롱으로 보이거나 느낄 수 있는 나이가 되었다는 것이다. 어릴 때는 어느 정도 이해 받을 수 있었지만 이제는 고학년이라 지도가 필요한 시점인 것이다.

얼마 전 아들의 담임 선생님과 통화하던 중 깨달았다.
해찬이는 엄마, 아빠를 안아주듯이 학교에서도 친밀감과 위로 이런 감정들을 포옹으로 표현하는 것이었다.
그 모습을 보고 선생님이 주의도 주고 설명도 해주면 아들이 많이 서운해한다고 한다. 그도 그럴

것이 그게 왜 나쁜 행동인지 아들이 이해하려면
아직은 좀 더 시간이 필요하다,

  하교 후 집에 돌아온 아들을 가만히 안아주며
선생님으로부터 들은 얘기를 꺼냈다, 안아 주는
건 엄마, 아빠, 이모, 고모를 포함한 가족하고만하
는 거라고 설명해주었다, 안겨있던 아들이 물러나
며 한 마디를 남겼다,
  "그만하시오"
엥! 이건 무슨 말이지? 그런 말은 누구한테 배운
거지?
너도 벌써 잔소리를 듣고 싶지 않다는 거야?
그럼 엄마 말 알아들은 걸로 알고 있을게--

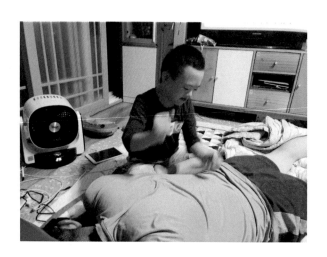

잘 할 수 있을까?

고모와 수원 할머니 댁에 놀러 간 적을 제외하고
는 엄마, 아빠와 떨어져서 잠을 잔 경험이 없었는
데 학교에서 1박 2일로 캠프를 간다고 했다. 처
음 얘기를 들었을 때는 가는 것이 당연하다고 생
각했지만, 날짜가 다가올수록 괜찮을지 걱정이 되
기 시작했다.

밤에 잠을 잘 때 엄마, 아빠를 찾지 않을까, 자
다 깨어서 비몽사몽인 와중에 놀라지는 않을까
그도 아니면 때때로 똥 고집을 부리는 녀석이 선
생님이나 친구들을 곤란하게 하지는 않을까 걱정
이 꼬리에 꼬리를 물었다.

그러는 와중에 출발 전날이 되어 이제는 물릴
수도 없었다. 그래도 1박을 하는지라 갈아입을

옷과 양치도구, 자기 전에 챙겨볼 흔한 남매 책을
가방에 챙기며 아들에게 상황을 설명해 주었다.

남편도 걱정이 되는지 여차하면 일이 끝나고 오
는 길에 들러 아들을 데려오겠다고 했다.

다음날 담임 선생님과 만일의 경우를 의논하고
오후가 되어 연락을 드렸지만 일정이 바쁘신지
통화 연결이 안 되었고 남편은 그냥 집으로 오는
수밖에 없었다.
한 편으론 무소식이 희소식이다 싶으면서도 걱정
되는 마음은 어쩔 수 없었다.

저녁 무렵이 되어 선생님으로부터 연락이 왔고
생각보다 친구들과 재미있는 시간을 보내고 있다
고 하여 한시름 놓았다. 밤에 자는 것만 잘 넘어
가면 좋겠다고 남편과 대화를 나누며 저녁을 먹
고 티브이를 보는데 뭔가 많이 허전하다.
꼬맹이 한 명이 하루 집을 비웠다고 이렇게 빈집
같을 수가 있다니.

다음날 아들은 조금은 그을린 얼굴을 하고 집으로 돌아왔다. 후에 선생님으로부터 받은 사진을 보고 괜히 걱정했다는 생각이 들었다. 엄마, 아빠가 정말 쓸데 없는 걱정을 했구나.

그 사이 많이 자랐네. 우리 눈에는 아직도 아기처럼 보이는데 언제 이렇게 컸어?

마음

초등학교를 입학하기 전에는 학교에 가서 앉아있기만 해도 좋겠다는 생각이 들었다. 어려서부터 언어 센터에 다니기 시작했지만 40분 수업을 하는 것도 쉽지 않았다. 센터 선생님은 학교에 간 후를 생각해 아들을 어르고 달래며 착석 훈련부터 시작했다

덕분에 학교에 가서도 적응하는데 오랜 시간이 걸리지 않았다. 이제는 학교에 가는 것 만으로도 기특하고 친구들에게 방해가 되지 않게 행동한다니 고마웠다. 답답하겠지만 해찬이가 이해하기 힘든 수업을 할 때는 나름의 활동을 하며 시간을 보낸다고 하는데 대견하면서도 안쓰럽긴 하다.

집에서도 한글을 가르쳐 보려고 했지만 쉽지 않았다.

학교에 놀러 가는 줄 알았는데 어느 순간부터 아는 단어들이 늘었다. 과자를 사면 이름도 읽었다. 발음도 서서히 좋아지긴 했지만 새로운 단어를 말 할 때는 여전히 바로 알아 듣기 힘들어 추측을 해야 했다.

거기에 비해 읽고 쓰기는 비약적으로 좋아져서 고학년이 된 후 어버이날 하루 전날 편지를 받았다. 편지를 써서 우체국에 가서 보낸 것이었다. 기쁨이 배가 되었다.

이전에는 카네이션 꽃을 만들어 왔었는데 이번에는 편지한 켠에 그린 꽃과 함께 삐뚤 삐뚤 한 자 한 자 눌러쓴 글이었다.

우리 아들한테 이렇게 빨리 큰 선물을 받게 될 줄은 예상하지 못 했다. 엄마, 아빠를 생각하며 글을 썼다니..

선생님의 도움으로 쓴 내용이겠지만 해찬이의 마음이 느껴졌다.

아프지 마

남편이 보내 준 사진 속 아들은 마스크를 착용했음에도 웃고 있는 걸 알 수 있었다. 귀여운 어린이 환자복을 입고 무슨 일이 일어날지는 짐작도 못 하고 있을 터였다. 혈관으로 마취 주사를 연결해 5초도 되기 전에 수면 상태가 되었다고 한다. 그다지 놀랄 일이 아니었음에도 눈 앞에서 목격한 남편은 마음이 심란해졌을 것이다.

오늘은 아들의 치과 치료를 하는 날이다. 많은 치아의 치료를 하루에 끝내기 위해 수면 마취는 선택의 여지가 없었다. 치과를 극도로 무서워해 의자에 앉히는 것도 쉽지 않기 때문이었다

회사에 출근하는 나는 퇴근 후 가기로 하고 남편이 병원에 데려갔다. 위아래 어금니는 유치였지만

치료를 더 이상 미루기 힘들어 내린 결정이었다.
남편도 나도 태연한 척 했지만 긴장되는 건 어쩔
수 없었다.

처음 예상은 2~3시간 소요 예정이라고 했는데
나중에 알고 보니 고지된 시간은 치료 전 후 마
취 깨는 시간 등은 포함이 안 되었기에 예상 시
간을 훌쩍 뛰어 넘을 수 밖에 없었던 것이다.

마음을 졸이며 남편은 끼니도 거른 채 수술실 밖
에서 기다리고 또 기다렸지만 좀처럼 기다리는
소식은 들리지 않았다. 덕분에 전화기만 바빴다.
남편과 나 그리고 가족들 간에 서로 소식이 궁금
해 물어보고 전달하기를 수차례.

드디어 기다리던 연락이 왔다.
남편은 마취가 깨어 가는 아들을 마주하고는 충
격을 받았다. 자그마한 얼굴은 장시간의 수술로
많이 부어있었다.

많이 아프고 놀라 눈물, 콧물, 피까지 범벅이었
다,

정신없이 운전을 해서 병원에 도착하니 아들은
나를 보자 설움에 겨워 또 울고 나도 미안해서
같이 울었다,
이래서 어른들이 자식을 대신해서 아프고 싶다고
하셨나 보다 이해가 되었다,

이번이 처음이자 마지막이었으면 하는 바램이었
지만 시작에 불과하겠지

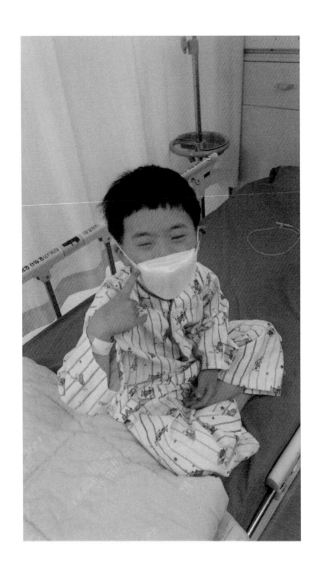

고집 부리는 이유

"해찬아, 학교 다 왔다. 가방 메고 모자 쓰
자~" "네~" 거기까지는 무난했다. 정문에 주차
를 하니 교통 지도를 하시는 어르신이 감사하게
도 차 문을 열어 주신다.

그런데 그 순간 아들의 고집 부리기 버튼이 눌어
졌는지 뭉을 쓰며 버틴다.

아… 당황스럽다. 내가 모르는 뭔가 있나 본데 짧
은 시간 머리를 굴려보아도 모르겠다. 이럴 땐 회
유와 협박을 반반 섞어본다.

"아이구 착하다 우리 해찬이, 얼른 들어가자"

"자꾸 말 안 듣고 고집 부리면 엄마 화나"

그래도 의자에 붙은 엉덩이가 떨어질 줄을 모른
다.

그렇다면 마음이 약한 아들에게 효과적인 읍소를
한다.

"엄마도 이제 회사 가야 하는데, 엄마 늦으면 어떡하지!" 잠시 더 뜸을 들이다 할아버지가 차에서 손을 떼 시자 차에서 발을 내려놓는다. 내려서도 할아버지에게 손을 가로저으며 불편한 기색을 표현하고 교문을 통과 후 문을 닫는다. 그리고는 천천히 아주 천천히 움직였다. 할아버지가 따라오시기를 바라는 것처럼.

내가 모르는 에피소드가 할아버지와의 사이에 있었나 보다.

목소리톤이 높거나 부정적인 표현에 크게 반응한다. 걱정이나 염려하는 말도 부정적이면 오히려 화를 낸다. 좋은 마음으로 얘기했다가 펄쩍 뛰는 반응에 당황한 적도 여러 번이었다.

내 마음의 여유가 있을 때에는 좀 더 나긋한 어조로 설명해주고 엄마가 화난 것이 아니고 걱정되어서 하는 말이라고 이야기 해 준다.

하지만 그렇지 않은 상황에서는 나도 화를 내고 인내심은 바닥을 친다.

해찬이도 나도 아직은 훈련과 연습이 필요한 부분이다. 엄마인 나도 안 되는데 세상 모든 사람이 그렇게 말 해 줄 수는 없으니까.

훈련과 연습을 통해 좋아 진 것이 있다. 아들이 가진 특성 중의 하나가 일상 생활에서 변화를 바라지 않는 것이다. 그리고 길치 이모에 놀랄 정도로 길눈이 제법 밝은 편이다. 어느 길로 가면 어디가 나오는지 알고 있다. 내가 운전을 할 때 본인이 생각한 길로 가기를 바란다. 생각과 다르면 지적을 하며 언짢아한다. 그래서 나는 일부러 더 많은 경우의 수를 만들어 보여 주고자 매번 다른 길로 운전을 했다.
그 결과 요즘은 경로에 대한 민감도가 많이 낮아져 예민하지 않다.
그냥 창밖을 보며 어디쯤 가고 있는지 엄마가 안전 운전을 하는지 확인만 하는 듯하다.

해찬이의 하루

귀찮아요

회사 유니폼을 입고 있는 엄마를 보면 아들은 "엄마 회사?" 하고 물어본다. 아마도 회사에 가는지 혹은 회사에 다녀왔는지를 표현하고 싶어하는 듯 하다. 그 외에 일상복을 입고 외출하려고 하면 "엄마 토끼? 바다?" 라고 한다.

집 근처 봉우리에 자주 운동을 가곤 하는데 누군가 정상에 토끼를 데려다 놓았는지 꽤 여러 마리의 토끼가 뛰어놀곤 한다.
전에는 토끼 보러 가자고 하면 곧잘 따라나서던 녀석이 요즘은 "아빠 홍해찬"을 다급히 외친다. 아빠랑 집에 있겠다는 의사를 분명히 밝히는 것이다.

세상 귀찮은 것이 없고 심부름 시키면 엉덩이가

가볍던 녀석도 고학년이 되자 달라졌다.

빠르게 걷는 운동을 하는 경우에는 같이 가는 아들이 힘들어 할까 동반을 권하지 않지만 산책을 하는 경우에 가자고 하는데 고개를 절레절레 흔들곤 한다.

간혹 아빠도 외출한다고 하고 집에 오는 길에 팝콘을 사주겠다고 하면 못 이기는 척 따라 나서기는 한다.

이제는 밥도 나의 2배 가까이 먹는데 아직 까지는 살이 안 쪄서 다행이다. 아들의 배는 둘 중 하나이다. 배불리 먹어 참외 배꼽이 볼록 나와 있거나 소화가 되고 난 후 王자가 보이거나.

주변 장애를 가진 자녀를 양육하는 엄마의 얘기를 들어보면 소화기 순환의 문제로 나이가 들수록 살이 급격하게 찌는 경우가 많다고 하니 걱정

이 될 수 밖에 없다,

운동 습관을 길러 주고 싶은 엄마 마음을 아는지
모르는지 오늘도 귀찮아한다,

추워~~!!

제주도를 기준으로 보면 맞는 말이다. 여기에서는 서울을 포함해서 비행기나 배를 타고 나가는 곳은 육지라고 부른다. 처음 제주에 내려왔을 당시 들었을 때는 생소하기도 하고 조금 웃기다고 생각했지만 지금은 당연한 듯이 나도 그렇게 말하곤 한다. 암튼 남편과 나의 고향은 육지이다. 남편은 경기도, 나는 강원도이다. 제주에서 만나 결혼을 함으로써 아들의 고향이 되었다.

시댁과 친정 큰 언니가 육지에 있어 해찬이가 어릴 때부터 매해 비행기를 타다시피 했다.
예전엔 엄마, 아빠 손에 이끌려 비행기를 탔는데 어느 순간 무서움을 느꼈는지 안 타겠다고 버티며 말했다. "비행기 추워" 처음엔 무슨 말인가 했는데 곰곰이 생각해보니 공포를 느꼈을 때 소

름이 돋는 걸 춥다고 표현하는 것이었다. 표현이 신박하다. 무서운지 재차 물어보면 그렇다고 하면서 말할 땐 춥다고 한다.

때때로 하늘에 보이는 비행기를 보면 좋아하다가도 "비행기 타러 갈까?" 라고 물어보면 고개를 가로저으며 여지없이 "추워" 라고 한다.

추워하는 순간이 또 있는데 비 오는 날 자동차 앞 유리에서 열심히 움직이는 와이퍼를 볼 때이다. 비의 양에 따라 속도가 빨라지면 더 기겁을 한다. 이유는 모르겠지만 위협적으로 느끼는 모양이다.

그런데 녀석이 의외로 무서워하지 않는 것도 있다. 휴대폰의 손전등 기능을 알게 된 이후 어두운 곳에서는 불빛을 비춰주곤 하는데 어느 날 외출 후 불 꺼진 집에 제일 먼저 들어가더니 불을 켜지 않아 "왜 불을 안 켰어?" 라고 물어보니

"귀신"이라고 하는 거였다. 귀신을 찾아 손전등을 비추며 이방 저 방 돌아다닌 거였다. 즐겨보는 TV 프로그램에서 나왔던 장면을 재연해 본 듯하다.

엄마, 아빠가 보는 무서운 영화도 숨 죽이고 집중해서 보는 걸 보면 그다지 무섭지 않은가 보다. 그거 아니? 엄마는 네가 고집 부릴 때가 제일 무섭다.

에필로그

아들에게

특별한 너로 인해 엄마는 다른 사람들과 함께하
는 삶을 생각하게 되고 인내심을 배웠어.
너처럼 사랑스럽고 따뜻한 아이가 있을까 싶을
정도로 최고의 아들이지.

엄마, 아빠는 너와 떨어져 있을 때에도 네 얘기
를 많이 하곤 해.
그런데 이제는 더 이상 예전처럼 걱정만 하지 않
고 웃는 일이 늘었어.
네가 마디지만 단단하게 잘 자라주고 있으니까.
아직 유창하게 말을 하지는 못 하지만 수다쟁이
로, 개구쟁이로 밝게 크는 너를 보며 엄마, 아빠
는 살아갈 힘을 얻고 더 열심히 살자고 다짐을
한단다.

엄마, 아빠가 힘들 때 너의 방식으로 위로해 주

고 안아 주어서 고마워.

이제는 네가 없는 우리 가족은 상상도 할 수 없
어.

지금처럼 건강하고 구김살 없이 자라 주렴. 해가
가득 찬 너의 이름처럼.

마음을 말로 표현하기 힘들어도 천천히 하나 씩
배워 나가면 되니까 조급해 하지 마 엄마 아빠가
기다려 줄게.

P.S 엄마, 아빠에게 가장 큰 칭찬은 해찬이가 사
랑을 많이 받고 자란 것 같다는 얘기를 듣는 거
야. 그렇지만 예의도 잊지 말자.